Coileán

Scríofa agus curtha in eagar ag Lisa Magloff
Deartha agus obair ealaíne dhigiteach Sonia Moore
Dearthóir DTP Almudena Diaz
Taighdeoir Pictiúr Sarah Pownall
Léiriúchán Emma Hughes
Dearadh Clúdaigh Hedi Gutt
Bainisteoir Poiblíochta Sue Leonard
Eagarthóir Ealaíne Clare Shedden
Leagan Gaeilge Máire Ní Chualáin

Foilsithe den chéad uair sa Bhreatain Mhór in 2005 ag Dorling Kindersley Limited, 80 Strand, Londain WC2R ORL

ISBN: 978-1-906907-37-2

Ba mhaith le Futa Fata buíochas a ghabháil le COGG, An Chomhairle um Oideachas Gaeltachta agus Gaelscolaíochta, a thacaigh le foilsiú an leabhair seo.

An Chomhairle um Oideachas Gaeltachta & Gaelscolaíochta

Clár

Is madra mise

Tá srón dhubh, fhliuch orm agus tá teanga fhada agam. Is breá liom a bheith ag súgradh agus ag dul sa tóir ar rudaí. Bíonn m'eireaball fada ag croitheadh nuair a bhím sásta.

Tá an fionnadh breá tiubh taobh istigh agus deas mín taobh amuigh.

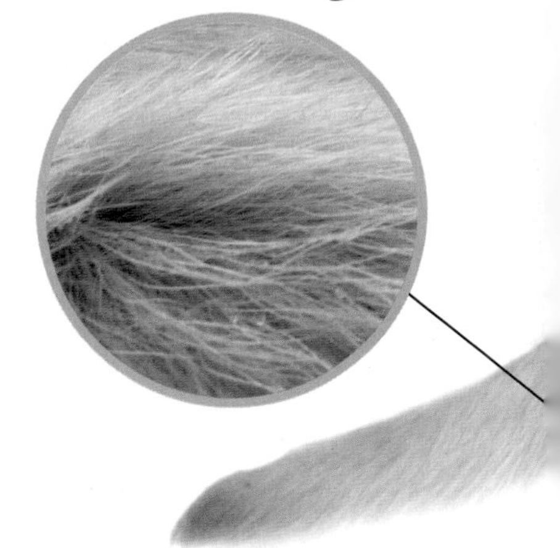

Labradór

Bíonn madraí ann a bhíonn oilte le breith ar rudaí agus iad a thabhairt ar ais chugat.

Codladh mór... go leor coileán ina gcodladh go sámh

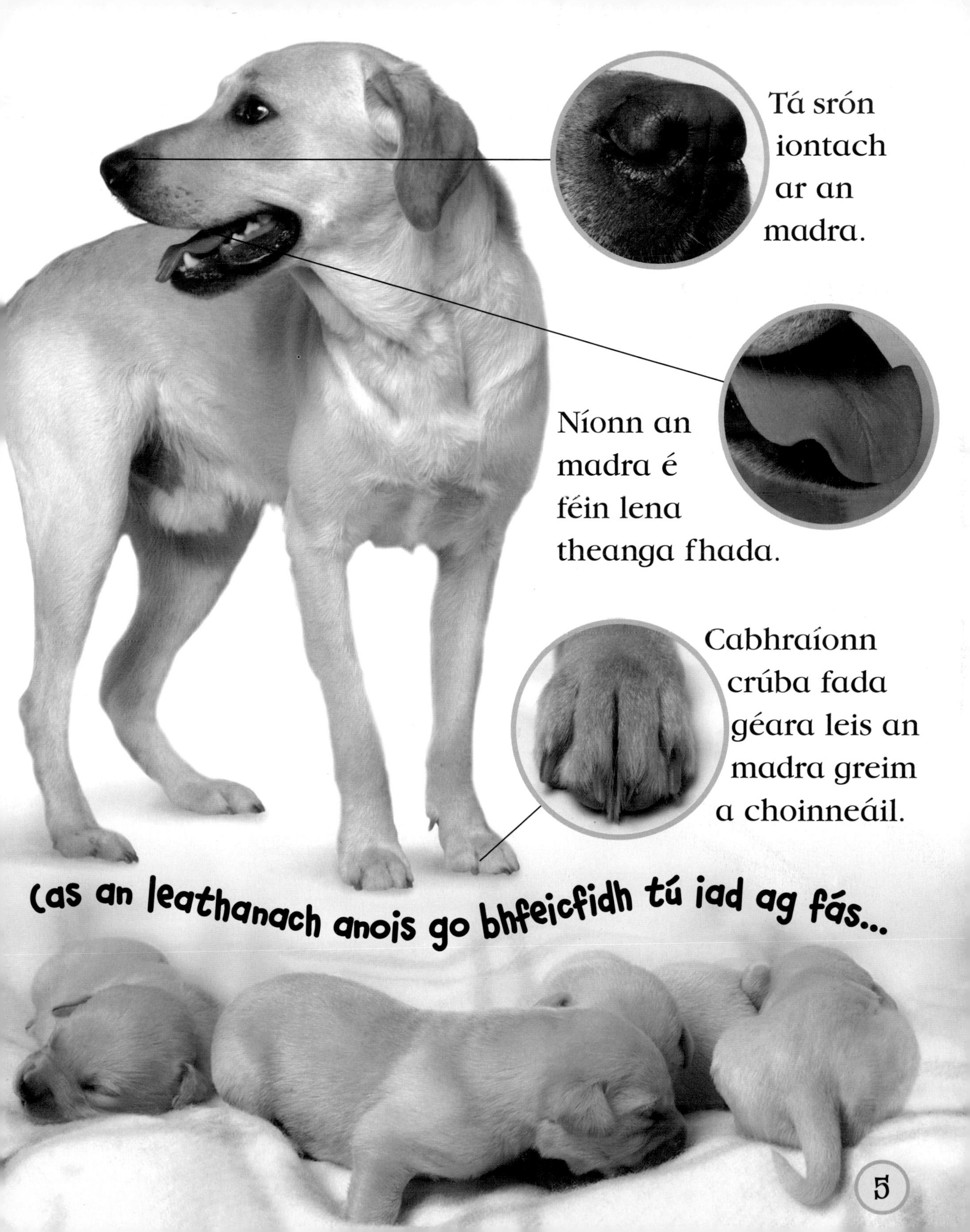

Tá srón iontach ar an madra.

Níonn an madra é féin lena theanga fhada.

Cabhraíonn crúba fada géara leis an madra greim a choinneáil.

Cas an leathanach anois go bhfeicfidh tú iad ag fás...

Mo mhamaí agus mo dhaidí

Tá mo mhamaí agus mo dhaidí ina gcónaí ar fheirm. Nuair a bheirtear mo dheartháireacha, mo dheirfiúracha agus mise, is í mamaí a thabharfaidh aire dóibh.

Seo í mo mhamaí

Bolg mhamaí

Féach cé chomh mór agus atá bolg na máthar seo. Tá na coileáin ag fás istigh ina bolg le hocht seachtaine. Is gearr go mbéarfar iad.

Seo é mo dhaidí.
An raibh a fhios agat?
Is trí bhonn na coise a chuireann an madra allas.
Tá srón chomh maith ar an madra agus go bhfuil a fhios aige gach comhábhar atá i strúisín.
Feiceann an madra dathanna áirithe, ach ní aithníonn sé dearg ná glas.
Bíonn madraí ag tafann le hinsint do mhadraí eile go bhfuil rud éigin ag tarlú.
Tar éis dó folcadh a bheith aige, is maith le Daidí é féin a chroitheadh!

Táimid trí lá d'aois

Rug mamaí sinn in áit a bhí deas sábháilte. Nílimid in ann feiceáil ná cloisteáil ach bímid ag bolú inár dtimpeall. Caithimid an lá ag ithe, ag codladh agus ag coinneáil te, teolaí.

Bíonn na coileáin ag brú siní mhamaí lena lapaí nuair a bhíonn siad ag beathú.

Fáiscthe le chéile

Bíonn na coileáin ag brú go dtí go bhfaigheann siad sine mhamaí agus go dtosaíonn siad ag ól bainne. Beidh siad ag beathú gach trí nó ceithre huaire a chloig.

Táimid in ann feiceáil

D'oscail ár súile nuair a bhíomar naoi lá d'aois. Táimid ag foghlaim le siúl anois. Ba mhaith le mamaí go bhfanfaimis in aice léi, ach táimid fiosrach agus ba mhaith linn dul ag tóraíocht.

Caitheann na coileáin an chuid is mó den am ina gcodladh fós.

Ag foghlaim le siúl

Tá na cosa lag go fóill, ach is gearr go mbeidh na coileáin in ann dul ag rith agus ag súgradh.

Tá sé in am dul ag tóraíocht

Tá mé sé seachtaine d'aois agus sách sean le dul ag tóraíocht ar fud an tí. Tá go leor rudaí spéisiúla anseo! Is iontach a bheith ag súgradh le bréagáin nua!

Ag foghlaim agus ag súgradh

Tá fiacla géara ag na coileáin anois agus tá siad ag cogaint agus ag súgradh le gach rud.

Bolaíonn coileáin dá gcairde nuair a chasann siad leo.

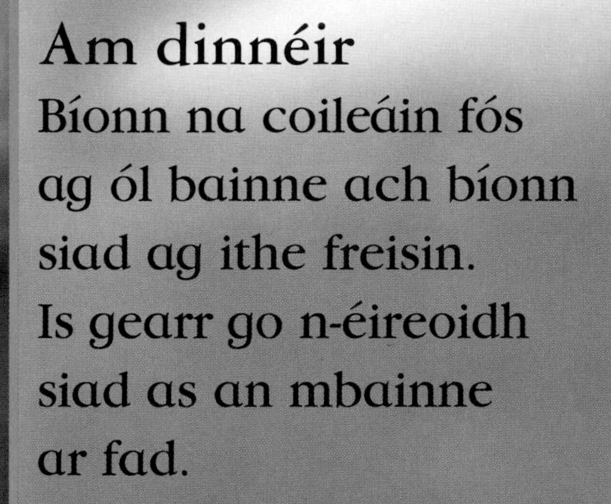

Am dinnéir

Bíonn na coileáin fós ag ól bainne ach bíonn siad ag ithe freisin. Is gearr go n-éireoidh siad as an mbainne ar fad.

Tá mé trí mhí d'aois

Tá sé in am dul ag tóraíocht san fhoraois. Cabhraíonn mo shrón liom boladh a bhaint de na feithidí agus na plandaí go léir.

Fuair an coileán seo boladh spéisiúil faoi na duilleoga.

Tá srón an mhadra
i bhfad níos fearr
ná srón an duine.
Baineann madraí
úsáid as a srón chun
bia a aimsiú, agus
chun ainmhithe
eile agus daoine
a aithint.

Ag súgradh le Daidí

Tá mé sé mhí d'aois agus beagnach chomh mór le Daidí. Tosaíonn Daidí ag grúscán le tabhairt le fios gurb eisean atá i gceannas nuair a bhímid ag tarraingt téide.

Tabhair domsa an maide, a Dhaidí!

Foghlaimíonn madraí go leor ó bheith ag súgradh.

Seo linn ag snámh!
Tá snámh iontach ag an gcuid is mó de na madraí, ach gur fearr le cuid acu thar a chéile an t-uisce.

Tá mé bliain d'aois

A fhad is bhí mise ag fás, bhí an chlann ag méadú freisin. Bhí sé choileán nua ag Mamaí agus Daidí. Seo iad mo dheartháireacha agus mo dheirfiúracha nua.

Is maith le go leor madraí a bheith bainteach le clann mhór chairdiúil mar seo.

Gnóthach

Ón am a mbíonn siad féin sé mhí d'aois, d'fhéadfadh go mbeadh dhá chuain ag madra baineann gach bliain!

Casann rothaí an tsaoil

Tá a fhios agat anois conas a d'fhás mé.

Slán. Tá mé ag dul ag breith ar m'eireaball!

Mo chairde ar fud an domhain

Bíonn gach cineál cuma ar mo chairde ar fud an domhain, ag brath ar an gcineál oibre a dhéanann siad.

Is as Éirinn an brocaire gorm agus is breá leis a bheith san uisce.

Is breá leis an sípéir gallda cabhair a thabhairt d'fheirmeoirí lena gcuid caorach.

Is as an bhFrainc an baiséadach, agus ba ghadhar seilge a bhí ann tráth.

Is as Meicsiceo an sí-abhabha agus is é an madra is lú ar an domhan é.

Is madra é an cú Afganastánach atá ag seilg leis na mílte bliain.

Bhuf Bhuf – cabhraím le caoirigh a athrú ó áit go háit ar an bhfeirm.

Tá an madra Pomaerach seo 30 cm ar airde.

An raibh a fhios agat?

Is iomaí fuaim a chloiseann madraí nach gcloiseann daoine, ar nós feithidí ag eitilt.

Ba é an chéad ainmhí a chuaigh sa spás ná Laika, madra Rúiseach, i 1957.

Foclóirín

Tabhair ar ais
Rud a aimsiú agus a bhreith ar ais chugat.

Grúscán
Glór a dhéanann madra nuair a bhíonn sé míshásta.

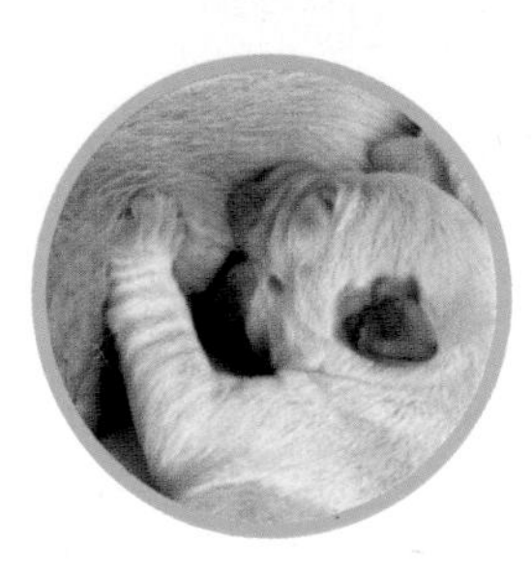

Ag beathú
Nuair a ólann ainmhí óg, cosúil le coileán, bainne a mháthar.

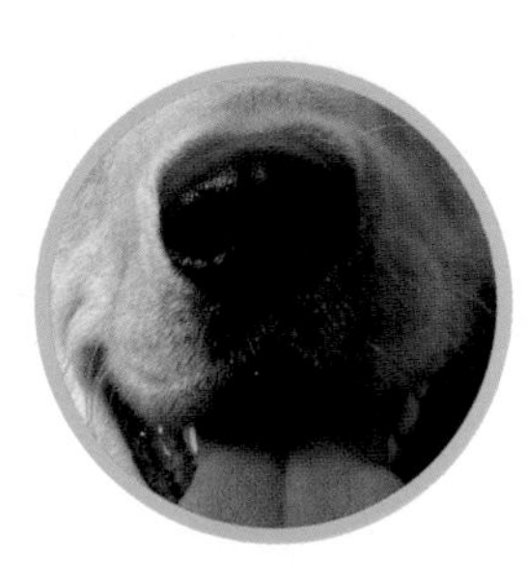

Soc
An t-ainm a thugtar ar shrón agus béal ainmhithe áirithe

Fionnadh
An ghruaig bhog atá ar an madra chun é a choinneáil te teolaí.

Cosc
Nuair a éiríonn ainmhí óg as bainne mar phríomhbhia.

Creidiúintí

Ba mhaith leis an bhfoilsitheoir buíochas a ghlacadh leo seo a leanas faoina gcaoinchead a gcuid grianghraf a fhoilsiú: (Eochair u-uachtar, í-íochtar, c-clé, d-deis, cú-cúlra, l-lár).

4 Alamy Images: Stefanie Krause-Wieczorek lc. 7 Corbis: Tom Stewart íd. 19 Science Photo Library: Renee Lynn ud. 24 Ridgeway Labradors: íd.
Gach pictiúr eile © Dorling Kindersley Media Library.

Tuilleadh eolais: www.dkimages.com

Ní bheadh 'Tá mé ag Fás – Coileán' indéanta murach an chabhair a fuarthas ó Ridgeway Labradors in Oxfordshire, Sasana. Ba mhaith linn buíochas faoi leith a ghabháil le Helen agus Stephen Harvey as a gcuid ama agus a gcuid foighne fhad is a thug siad a dteach, a bhfearann agus a madraí ar iasacht dúinn. Buíochas freisin lenár gcairde, na madraí Chloe, Phoebe, Timmy, TJ, Harvey agus Roxy